COLECCIÓN TESORO INFANTIL

Títulos en este volumen:

Los Tres Ositos
Pulgarcito
Blancanieves y los Siete Enanitos
El Gato con Botas

© Ediciones Saldaña S.A.
San Sebastián - España
I.S.B.N.: 84-7297-139-2
D.L.: BI-1192-87

© 1999 GRUPO EDITORIAL GARCIA S.A. de C.V. MEXICO

Matriz:
Washington No. 1127 Ote.
Col. Centro, 64000 Mty, N.L.
Tels.: (8) 344-8059 y (8) 344-0580
Fax: (8) 343-4984

Sucursal:
Recursos Petroleros 82-A Fracc. Ind. La Loma
Mpio. de Tlalnepantla, 54060 Edo. de México.
Tels.: (5) 397-8220, 397-8188, 397-9220
Fax: (5) 397-9422

E-mail: rigogar@data.net.mx

IMPRESO EN ESPAÑA

LOS TRES OSITOS

Nelly era una niñita encantadora pero algo atolondrada. Aquel día de primavera, maravillada por el tibio ambiente y el aroma de las flores primeras, se alejó tanto que, perdida, no sabía vol-

ver. El conejito pensó: "¡Qué niñita más tonta!" Y la ardilla rió por bajines. Por suerte, cuando empezaba a apurarse, divisó a lo lejos una deliciosa casita que parecía de cuento y hacia ella marchó. Curiosa y algo asustada, traspasó el umbral. ¡Qué orden el de allí!

Sobre la mesa la vajilla aparecía en perfecta colocación. Y, al olfato de la pequeña le alcanzó un delicioso olor-

cillo. Guiada por él, llegó a la reluciente cocina, donde hervía una marmita.

—¡Hummm...! Esto debe saber a gloria —se dijo Nelly. Y ni corta ni perezosa, tomó un platito y lo llenó hasta el borde.

Luego fue hacia la mesa y allí lo despachó, ajena a todo lo que no fuera reponer fuerzas y descansar.

Y mientras tanto, su imaginación se desbordó...

—Esta preciosa casita, tan requetelimpia, debe ser un regalo que las hadas han dispuesto para los niños perdidos, posiblemente para mí. Quizás venga a verme la Reina de las Hadas y me traiga de regalo

una sarta de finas perlas de Oriente
y...

La boca se le abrió en un bostezo y se
dio cuenta de que el largo paseo la
había dejado cansada y somnolienta.
¿Y su allí hubiera alguna cama?

Sin pensarlo dos veces, subió las pulcras escaleras y vio un gracioso dormitorio con tres camitas, de mayor a menor.

En la más grande, Nelly se acostó sin
comprender que, aquellas zapatillas
grandotas debían de tener un dueño.
Al instante, rendida como estaba, se

durmió. Su mente se pobló de sueños maravillosos en los cuales ella era la reina de un reino ideal.

¡Confiada Nelly!

Ni siquiera se le ocurrió pensar que en el desconocido hogar el peligro podía estar al acecho. ¿A quién pertenecía en realidad?

Sus dueños estaban cada vez más cerca y eran tres. Papá Oso, Mama Osa y Osito. ¿Peligraría Nelly?

A unos cincuenta pasos de la casa Osito, que era un lince, exclamó aterrado:

—¡Alguien ha entrado en nuestra casita! ¡Veo la puerta abierta! ¡Oh, qué miedo, qué rabia...!

—¡Oh, sí! Yo cerré la puerta —dijo Papá Oso.

—¿Será algún ladrón? —dijo Mamá Osa, sujetando a su pequeño.

Papá Oso, en previsión de lo que fuera, se armó de garrote y el primero entró.

Mamá Osa temblaba como una hoja,
pero lo quería disimular.
—¡Oh! —gimió Osito—. Mi cuchara está
sucia. Y mi platito también. Que le
peguen al ladrón.

Papá Oso, en plan héroe, iba escaleras arriba con la familia detrás. Mamá Osa le advirtió:

—Ten cuidado, Papá Oso...

—Tengo miedo —susurró Osito, a punto de llorar.

¡Qué miedo tenían los tres!

¡Ya estaban en el dormitorio! Papá Oso levantó el garrote y... levantado se le quedó.

—¡Oh, una niñita...! —exclamaron los tres a la vez.

—Yo la quiero... cómpramela, papi, cómpramela, cómpramela...

—¡Ssss... calla! —dijo Mamá.
Con el ruido, Nelly despertó. No eran
hadas lo que tenía ante sí.

Pero pronto su terror se disipó. Grandes y pequeños la miraban embobados y repitiendo:

—¡Qué linda niñita! ¡Qué linda! No tengas miedo, pequeña, no.

La bondad se reflejaba en aquellas caras y Nelly se tranquilizó. Además, Osito era divertidísimo y los dos empezaron a jugar.

—¡Quiero que se quede Nelly!

Eso repetía Osito, que nunca lo había pasado tan bien.

Pero la prudente Mamá Osa tuvo algo que oponer y dijo:

—Hijito, Nelly puede volver siempre que quiera, pero debe regresar con sus padres, que penarán por su ausencia. Yo acompañaré a nuestra querida ami-

guita y le marcaré el camino para que
lo aprenda bien y venga.
Lo hicieron así. Nelly, junto a los tres
osos, aprendió muchas cosas, en espe-
cial a obedecer.

PULGARCITO

En cierto lugar aislado del bosque, exis-
tía una casita de campesinos. Eran tan

pobres que apenas podían dar de comer a sus siete hijos, el menor de los cuales, corto de estatura pero largo de ingenio, era conocido por Pulgarcito. Las cosas iban a peor y una noche, éste oyó que su padre decía:

—De seguir así, los niños enfermarán.
Es preciso evitarles sufrimiento, de
modo que los abandonaremos en el
bosque. No sabrán volver solos y su

fin será más piadoso que el que les espera aquí. ¡Pobres hijos!

—¡Tate! —se dijo el niño—. Esto no me gusta.

Se llenó los bolsillos de piedrecitas y a la siguiente mañana, cuando salieron de casa, fue arrojándolas por el camino, de modo que para volver podrían seguirlas.

En efecto, regresaron y encontraron a sus padres llorando amargamente, aunque se alegraron de ver a sus hijos sanos y salvos.

La cena de aquella noche consistió en un minúsculo pedacito de pan. Pulgarcito lo guardó, presintiendo que al día siguiente sería la repetición de aquél. En efecto, muy de mañana salieron todos de casa y él fue dejando caer las miguitas de pan de trecho en trecho. Hasta jugaron alegremente cuando sus padres se alejaron.

Pero, al intentar el regreso...

¡Vaya chasco! No pudieron encontrar
ni una de las miguitas, para guiarse.
¡Se las habían comido los pájaros!
Pulgarcito trepó a un árbol alto, miró

en torno y descubrió a lo lejos la luz
de una casa.
—¡Estamos salvados, hermanitos!
¡Seguidme todos que sé dónde vamos
a pasar la noche! ¡Je...!

Una hermosa muchacha, joven y boni-
ta, les abrió la puerta. Compasivo, hizo
pasar a los niños y les dio de comer.
Pero...
—¡Hijos míos, no habéis tenido suerte!
Mi marido es el ogro Golón, que por

comer, come hasta niños.
En fin, os esconderé, porque está al
llegar.

Al poco llegó Golón y, olfateando en torno, dijo que olía niños.

—¡Qué va! —alegó la mujer—. Son los tres corderos que tengo en el horno para tu cena.

Pero el ogro no lo creyó y empezó a rebuscar por la casa. En la alacena, descubrió a los siete hermanitos y gritó:
—¡Pónmelos de cena!
—No seas bruto —contestó ella.

Ya tienes los corderos y tortas.
Golón insistió y la buena mujer le arro-
jó un cántaro a la cabeza. Mientras se
desembarazaba de él, los niños huye-
ron como si tuvieran alas en los pies.
Una vez lejos, se pararon para tomar

aliento. ¡Ay! Entonces vieron llegar al ogro que, tras cenar, salió a buscarlos con sus botas de siete leguas. Y calladitos, vieron cómo el grandón se tumbaba a descansar. Le pesaba demasiado la barriga, después de atracarse con los tres corderos, amén de doce tortas y ocho quesos. Roncaba tanto, que Pulgarcito se dijo:

—Esta es la mía... Le quitaré las botas y no podrá seguirnos.

Y, ¡vaya si lo hizo!

Sus seis hermanitos, con los ojos cerrados, estaban viendo al ogro perseguir a Pulgarcito. Pero, no. El chicuelo, listo, logró sus propósitos, aprovechan-

do que el bruto ronca-
ba a placer. Luego se
fueron con las botas y
al amanecer, el peque-
ñarra se las calzó y dijo
mandón:

—¡Botas de siete leguas,
llevadme al palacio del
Rey!

Las botas obedecieron.
Sus seis hermanos se
escondieron en una
cueva a aguardar.

¿Y si no vuelve nunca más? —preguntó el más miedoso.

—¡Volverá! —dijo el mayor, que le cono-
cía bien.

En efecto, regresó. Soldados del Rey le daban escolta. Unos para apresar al come-niños y otros para llevar a los chicos a casa.

¡Cuánta fue la alegría de los pobres
campesinos al reunirse con sus hijos!
Y, para colmo de dicha, Pulgarcito lle-
vaba en el bolsillo el nombramiento
de cartero real, que su Majestad le
otorgó por su talento y por su rapidez
sobre las botas de siete leguas.

Y con el sueldo, que era regio, todos vivieron felices.

BLANCA NIEVES Y
LOS 7 ENANITOS

Aquella linda princesita, Blanca Nieves, pudo haber sido feliz y no lo era

a causa de su madrastra, la más bella
y orgullosa de las reinas, la trataba
con desdén. Nadie sabía que era también bruja, además de la vanidad
misma.

Tenía un espejo mágico y cada día le
preguntaba si era la más bella de las

mujeres. Siempre, el espejo afirmaba...
cierto día, ya no.

—¡La más hermosa de las mujeres es
la princesa Blanca Nieves!

Ardiendo de ira, la Reina fue en busca de su montero y le ordenó:

—Llevarás al bosque a Blanca Nieves, lejos de todos, y la matarás.

—Reina y señora, no puedo hacerlo...

—En tal caso, tú también morirás.

Aterrado, el sirviente obedeció y, en compañía de la princesita, se alejó. Estaban lejos cuando dijo muy triste y lloroso:

—Por orden de la Reina, debo darte muerte,

princesa. Y no sabes lo que me cuesta hacerlo... Con lágrimas en los ojos, la niña suplicó clemencia.

Y el buen montero, apiadado, se marchó, no sin antes advertir:

—Bien, te abandonaré aquí, pero per-
manece oculta. Si la Reina supiera mi
desobediencia, me haría matar.
Lo prometió la niña y se quedó sola
en un lugar desconocido, con las ave-

cillas por testigos de su soledad. ¡Ay!,
anochecía y el temor la invadía. De
pronto... descubrió a lo lejos una dimi-

nuta y linda casita y a ella se acercó. Como nadie atendiera a sus llamadas, entró. Y vio una mesa puesta con siete platitos, su cuchara y su tenedor. Como tenía hambre, la pobre niña fue probando un poco de sopa de cada platito.

¡Y qué rica le pareció!
Estaba cansada y recorrió la diminuta casa. Halló siete camitas, las probó todas y, en la última se acostó, todavía llorando sus desdichas.

Cesaron los pajarillos en sus trinos,
como si supieran que tenía la niña
necesidad de reposar y el conejito dejó
de saltar.

La casita pertenecía en realidad a los Siete Enanos del bosque, que todos los días iban a trabajar en su mina de diamantes. Alegre no dejaba de cantar, Gruñón de refunfuñar, Perezoso se quedaba atrás, Llorón tenía, como

siempre, ganas de llorar.. Y tuvo oca-
sión, pues empezó a derramar lágrimas como puños al entrar en casa y
observar que faltaba sopa de su platito.

—¡Tate! —alguien ha comido sopa de mi plato —dijo Tragón.

Los siete recorrieron la casita y en la última cama...

—¡Oh, qué niña más hermosa...!

—¡Tiene lágrimas en las mejillas! —se admiró Llorón.

Despertó ella y al pronto se asustó. Pero luego supo que los enanitos eran excelentes y le brindaban su amistad. Así que se quedó a vivir con ellos y

volvió a sonreír. Pero... la Reina, con-
sultó a su espejo y éste dijo:
—La más bella es... ¡Blanca Nieves!

Furiosa, se fue a la cueva donde ejercía sus artes mágicas entre pócimas y pajarracos, se disfrazó de vieja vendedora y, con gran arte, introdujo veneno en una manzana gorda y colorada.

Riendo espantosamente, se fue al bosque.

—¡Volveré a ser la más hermosa! —se repetía—. ¡Blanca Nieves morirá! ¡Ah... soy dichosa...!

Encontró a la niña asomada a la ventana y le entregó la manzana. Como no la había reconocido, la mordió. En el mismo instante, cayó el suelo, fulminada.

—¡Ja.... ja...! —reía la muy bruja, mientras desaparecía ligera.

¡Pobres enanitos! ¡Qué dolor sintieron al hallarla sin vida!

En una hermosa urna de cristal, la lle-
varon a su lugar favorito en el bosque.
Y allí la descubrió el apuesto príncipe
del País Sonriente. Enamorado de ella,
decidió llevarla a su palacio. Mas, al
mover la urna, la manzana saltó de la
garganta de Blanca Nieves y volvió a
la vida...

Los príncipes se casaron y, en compañía de los enanitos, fueron felices. En cuanto a la madrastra, dicen que al saberlo explotó de ira. ¡Plaf! ¡Se acabó!

EL GATO CON BOTAS

En una lejana aldea llamada Pocacosa
de Abajo, acababa de morir el moline-

ro. Dejaba tres hijos y el mayor, haciendo valer sus derechos, reclamó el molino; el segundo, por razón de seguirle en edad, el burro, con el que podría ganarse la vida. El tercero, ¡ay!, tuvo que conformarse con lo único que quedaba: un gato marrullero.

—¡Aviado estoy, sin otro capital que un gato! —suspiró el joven.

—Tranquilo, amo mío —dijo el Gato—. Confía en mí y no te arrepentirás. Sabes que soy listo.

¡Y vaya si lo era, además de saber hablar! Como primera medida exigió un sombrero, unas botas y un saco. Y se fue al monte. Pronto tenía un conejo en el saco y con él se presentó ante el Rey, al que saludó con ceremonia al ofrecerle el conejo.

—De parte de mi amo, el Marqués de Carabás.

—Dad las gracias a vuestro amo, el Marqués de Carabás —dijo el admirado monarca, intrigado por aquel des-

conocido marqués y su estrafalario
Gato.

En adelante, utilizando mil tretas, el
Gato con Botas siguió llevando pre-
sentes al Rey.

Entre unas cosas y otras, el soberano ardía en deseos de conocer al Marqués de Carabás.

—¡Debe ser un tipo la mar de original! —se decía intrigado.

Cierto día en que amo y criado paseaban a orillas del río, el animalito apremió:

—¡Rápido, amo mío, despojaos de la ropa y entrad en el río! Y gritad fuerte, como si os ahogaseis.

El muchacho, sorprendido, obedeció.
El astuto Gato, que había visto acer-
carse a la carroza real, empezó a gri-
tar pidiendo auxilio.

Oyó los gritos el Rey, e hizo detener el carruaje. El Gato se acercó todo alborotado y explicó sin enrojecer:

—¡Oh, Majestad! Unos ladrones han robado la ropa de mi amo, el Marqués de Carabás, mientras se bañaba en el río y ahora no puede salir.

—¡A ver! ¡Sacad del equipaje un traje mío para el marqués! —dijo el monarca a sus lacayos, en tanto el Gato ocultaba su satisfacción. Y sucedió que el Rey iba acompañado de su hija, la princesa heredera, bellísima por

cierto, y que ella se sintió prendada del apuesto joven que, vestido con un traje de su padre, se acercaba cortés. Invitó al marqués a sentarse a su lado y el Gato, por su parte, echó a correr delante de la carroza y ordenando a los campesinos que encontraba a su paso:

—Pronto llegará el Rey. Cuando pregunte de quién son estos campos responded que de vuestro amo el Marqués de Carabás. Si así no lo hacéis, Nubarrón os lo hará pagar muy caro.

Por este motivo, los asustados campesinos respondieron al Rey, cuando preguntó a quién pertenecían las tierras, que al Marqués de Carabás, pero en realidad, su dueño era Nubarrón,

un ogro bruto y de mucho cuidado.
Seguidamente, el Gato con Botas se
fue al castillo del ogro y, plantado ante
él, le retó fanfarrón:

—¿Es cierto que podéis convertiros en cualquier animal?
—¡Y tan cierto! ¡Ahora verás! ¡Augh...!
—Se había vuelto león.

El Gato casi se muere del susto, pero reaccionó a tiempo y...

—¡Bah! —desdeñó— con tu tamaño esto es muy fácil. ¡Ja! Nunca podrás convertirte en ratón.

Cayó Nubarrón en la trampa, se transformó en un abrir y cerrar de ojos en ratoncillo y el Gato, que estaba al acecho, hizo gala de sus dotes de cazador, zampándoselo lindamente.

Cuando la carroza regia llegó al castillo que había sido del ogro Nubarrón, el Gato trapalón se adelantó a recibir a los reales personajes y su amo.

—Bienvenidos al castillo del Marqués de Carabás —dijo, con obsequiosa reverencia.

El joven procuró hablar aparte con su Gato, ya que no entendía nada de aquel

galimatías. Se lo explicó detalladamen-
te el animalito y supo que era dueño
del castillo y las inmensas posesiones
del ogro Nubarrón. Y poco después,
cuando solicitó la mano de la bella
princesa, el Rey se la concedió, encan-
tado de tener un yerno tan rico o más
que él.

Como los jóvenes se amaban, fueron felices. ¡Ah!, el Gato todavía más, convertido, por su talento, en Primer Ministro.